LLYFRAU LLOERIG

ZAC YN Y PAC

Gwy *n*

Cwpan y Swigod

DREF WEN

Storïau Gwyn Morgan
o Wasg y Dref Wen
gyda lluniau gan Dai Owen

Hari Hyll yr Ail
Ben ar ei Wyliau
Rwba Dwba
Zac yn y Pac*
Dannedd Gosod Ben*

* Hefyd ar gael ar gasét yng nghyfres
Llyfrau Llafar y Dref Wen

© y testun Gwyn Morgan
© y darluniau Dai Owen

Cyhoeddwyd gan Wasg y Dref Wen,
28 Ffordd yr Eglwys,
Yr Eglwys Newydd, Caerdydd
Ffôn (01222) 617860.

Argraffiad cyntaf 1994
Adargraffwyd 1996.

Cyhoeddwyd dan gynllun comisiynu'r Cyngor Llyfrau Cymraeg.

Dymuna'r cyhoeddwyr gydnabod cymorth
Adrannau'r Cyngor Llyfrau Cymraeg.

Argraffwyd ym Mhrydain.

. . . meddai Dai Dap. 'Rŷn ni ar y Maes Rygbi Cenedlaethol ar ddydd Sadwrn olaf y tymor. Mae'n ddiwrnod rownd olaf Cwpan y Swigod. Tîm pentre Brynchwim sy'n wynebu cewri dinas Casgarw, ac rŷn ni newydd glywed fod bws tîm Brynchwim wedi cyrraedd y maes. Fel y gwyddoch, mae amheuaeth a fydd Zac Evans, capten Brynchwim, yn ffit i chwarae. Fe awn ni draw yn fyw yno at Bleddyn Owen, ein gohebydd, i gyfarfod â'r tîm.'

'Wel, mae Zac Evans, capten Brynchwim, ac Eddie Jones yr hyfforddwr, newydd ymuno â mi,' meddai Bleddyn Owen. 'Nawr, ŷch chi'n ffit i chwarae heddiw, Zac?'

'Zac yw capten y Clwb,' meddai Eddie. 'Fe yw ein chwaraewr gorau ni. Rŷn ni'n gweddïo y bydd e'n holliach erbyn tri o'r gloch.'

'Diolch, Bleddyn,' meddai Dai Dap. 'Draw nawr at Gareth Lawrence, ein gohebydd, i siarad â Pydew Jenkins a Cynrhon Richards, capten a hyfforddwr Casgarw, sy ar hyn o bryd ar frig yr Adran Gyntaf.'

'A beth amdanoch chi, Pydew?' holodd y gohebydd.

Cododd tad Zac
o'i gadair.

Gorffennodd ei ddiod, ac anelodd at y set
deledu.

Dewch yn ôl atom ar ôl
yr hysbysebion i glywed y
diweddaraf am gyflwr Zac
Evans. Fe yw un o
chwaraewyr mwyaf...

Diffoddodd Edward
Evans y teledu.

Roedd Edward Evans yn rhy hen i deithio i'r brifddinas i weld y gêm, felly roedd wedi penderfynu gwylio'r gêm ar y teledu.

 # Y SEREN

Y PAPUR DYDDIOL GORAU AM CHWARAEON

Mae e'n haeddu MEDAL!!!

Neithiwr yng Ngwesty'r Angel, rhoddwyd medal aur arbennig i'n gohebydd Tim Chwim am ei waith rhagorol yn dadlennu twyll ar y maes chwarae.

Ydych chi'n cofio?

Ciw Clwyddog. Snwcrodd Tim y cnaf hwn. Ciw-t iawn.

Egni Jones, y codwr pwysau. Cymerodd gyffuriau. Fedr e ddim dal y pwysau yn hir.

Jim Nasteg. Nawr, mae e'n ymarfer ei gampau yn un o westyau ei Mawrhydi.

Mae Tim Chwim yn cadw llygad barcud ar bawb ym myd chwaraeon Cymru. Ys gwn i beth fydd ei sgŵp nesaf?

— HYSBYSEBION —

STRETSIERS GARW

Mae 90% o'r timau sy'n chwarae yn erbyn Casgarw yn eu defnyddio. Manylion pellach oddi wrth Cynrhon Richards, Casgarw Cyf., Casgarw.

GWISG CHWYS RHYS

Bandiau chwys i'r pen a'r garddwrn.

EAU DE PONGEAU

Persawr perffaith i'r prop modern.

GYMC

Y gorchuddiwr dannedd del i fachwyr mawr a bach.

BRYNCHWIM

CASGARW

Eddie Jones	hyfforddwr	**Cynrhon Richards**
Phillip Wheeler	cefnwr	**Keith 'Dyrnwr' James**
Ken Davies	asgellwr	**Luke 'Malwr' Griffiths**
Ben Davies	canolwr	**Michael James**
Nathan Jarret	canolwr	**Kristian 'Damsangwr' Foster**
Rhodri Watkins	asgellwr	**Jonathan Morgan**
John Morris	mewnwr	**Liam 'Tagwr' Watkins**
Dai Davies	maswr	**Owen 'Torrwr' Jones**
Tony James	prop	**Eurig Phillips**
Brian James	bachwr	**Dafydd 'Poenwr' Huws**
Henri Williams	prop	**Cuthbert 'Pydew' Jenkins** (capt
Bruce Webb	clo	**Emyr Stephens**
Adrian Llewelyn	clo	**Gwion Davies**
Zac Evans (capt)	blaenasgellwr	**Jack Mort**
Colin Williams	blaenasgellwr	**Gilbert Evans**
Glyn Bevan	wythwr	**Gomer Thomas**

Dyfarnwr: **Huw Bevan**

Dechrau: **3.00 p.m.**

9

BRYNCHWIM

Eddie Jones

Hyfforddwr ac athro yn
yr ysgol gynradd

Phillip Wheeler

Cefnwr a gyrrwr tacsi
Taldra: 1.65m   Pwysau: 83kg

Ken Davies

Asgellwr a phlismon
Taldra: 1.70m   Pwysau: 70kg

Ben Davies

Canolwr a phobydd
Taldra: 1.55m   Pwysau: 82kg

Nathan Jarret

Canolwr a thorrwr coed
Taldra: 1.70m   Pwysau: 80kg

Rhodri Watkins

Asgellwr a chogydd
Taldra: 1.69m   Pwysau: 70kg

John Morris

Mewnwr a gwerthwr yswiriant
Taldra: 1.50m   Pwysau: 78kg

Dai Davies

Maswr ac athro
Taldra: 1.57m   Pwysau: 78kg

Tony James

Prop a dyn llaeth
Taldra: 1.55m Pwysau: 106kg

Brian James

Bachwr a gweithiwr ffatri
Taldra: 1.50m Pwysau: 100kg

Henri Williams

Prop a ffermwr
Taldra: 1.58m Pwysau: 105kg

Bruce Webb

Clo a pheintiwr
Taldra: 1.69m Pwysau: 100kg

Adrian Llewelyn

Clo ac yn ddi-waith
Taldra: 1.70m Pwysau: 106kg

Zac Evans

Blaenasgellwr, capten a garddwr
Taldra: 1.65m Pwysau 97kg

Colin Williams

Blaenasgellwr a thorrwr beddau
Taldra: 1.66m Pwysau: 98kg

Glyn Bevan

Wythwr a mecanic
Taldra: 1.70m Pwysau: 102kg

CASGARW

Cynrhon Richards

Hyfforddwr a pherchennog clwb nos

Keith James

Cefnwr ac yn hoffi dwyn losin oddi ar blant
Taldra: 1.82m   Pwysau: 80kg

Luke Griffiths

Asgellwr ac yn hoffi cicio plant
Taldra: 1.80m   Pwysau: 74kg

Michael James

Canolwr ac yn hoffi damsang ar draed
Taldra: 1.85m   Pwysau: 83kg

Kristian Foster

Canolwr ac yn dwyn bwyd plant
Taldra: 1.82m   Pwysau: 83kg

Jonathan Morgan

Asgellwr ac yn hoffi cuddio bagiau
Taldra: 1.79m   Pwysau: 73kg

Liam Watkins

Mewnwr ac yn hoffi bygwth plant
Taldra: 1.67m   Pwysau: 70kg

Owen Jones

Maswr ac yn hoffi gwneud i blant grio
Taldra: 1.80m   Pwysau: 76kg

Eurig Phillips

Prop ac yn hoffi gweiddi ar blant
Taldra: 1.80m   Pwysau: 108kg

Dafydd Huws

Bachwr a thorrwr teganau
Taldra: 1.65m   Pwysau: 100kg

Pydew Jenkins

Prop a malwr blodau
Taldra: 1.68m   Pwysau: 109kg

Emyr Stephens

Clo a thorrwr llyfrau
Taldra: 1.87m   Pwysau: 115kg

Gwion Davies

Clo ac yn hoffi chwerthin am ben plant bach
Taldra: 1.90m   Pwysau: 110kg

Jack Mort

Blaenasgellwr ac yn hoff o ddwyn beiciau plant
Taldra: 1.83m   Pwysau: 100kg

Gilbert Evans

Blaenasgellwr ac yn hoffi dwyn anrhegion
Taldra: 1.84m   Pwysau: 100kg

Gomer Thomas

Wythwr a malwr doliau a milwyr
Taldra: 1.86m   Pwysau: 107kg

Roedd Tim Chwim, seren ymysg gohebwyr *Y Seren*, wedi bod yn cadw llygad barcud ar y cnaf Cynrhon Richards ers wythnosau. Roedd wedi casglu un neu ddwy o ffeithiau difyr amdano, ond hyd yn hyn, dim byd digon mawr i greu sgŵp.

Rhuthrodd Tim i gysylltu â golygydd *Y Seren*.

Esboniodd iddo ei fod wedi gweld Cynrhon yn estyn pecyn i'r dyfarnwr ond ei fod yn rhy bell i ffwrdd i glywed eu sgwrs.

'Pentre bach hyfryd iawn yw Brynchwim, fel
y gwelwch,' meddai Dai Dap.

'A dyma ddinas fawr Casgarw. Poblogaeth:
chwarter miliwn. Lle . . . lle . . . ym . . . prysur!
Dinas a hanner, myn brain i!' meddai Dai Dap.

'Dyma ble mae'r rhan fwyaf o chwaraewyr Casgarw yn byw ac yn . . . ym . . . ym . . . gweithio.'

Dim ond pum munud oedd ar ôl cyn dechrau rownd derfynol Cwpan y Swigod.

Roedd Tim eisoes wedi dodi offer clustfeinio yn stafell newid tîm Casgarw.

'Y cwestiwn mawr ar hyn o bryd yw a fydd Zac Evans, capten Brynchwim, wedi pasio ei brawf ffitrwydd,' cyhoeddodd Dai Dap.

'Dim clem,' atebodd e. 'Ond mae'r ddau dîm ar fin ymddangos.'

Daeth y ddau dîm allan drwy'r twnnel, a Zac yn arwain tîm Brynchwim.

Chwifiodd y ddau dîm eu dwylo ar y dyrfa fawr. Roedd hanner can mil o gefnogwyr yno ar y Maes Cenedlaethol.

Ar ôl ffurfio'n ddwy res, canodd pawb yr Anthem Genedlaethol.

Chwibanodd y dyfarnwr,

a chiciodd Owen Jones y bêl yn uchel o'r smotyn canol.

A thoc daeth yr haul i ddisgleirio ar y cyfiawn a Chasgarw.

Zac ddaliodd y bel.
Gwelodd Pydew Jenkins
yn anelu amdano.

Yn sydyn, ciciodd y bêl yn bell i fyny'r asgell.

Fe gaf i gyfle arall yn ystod y gêm i dy frifo di'n dost, y gwalch!

Ond
lloriodd Pydew,
capten Casgarw, Zac,
er nad oedd y bêl yn ei
feddiant. Roedd hi'n dacl hwyr iawn.

Damsangodd Emyr
Stephens ar droed
Adrian Llewelyn
yn bwrpasol.

Bu'n rhaid i'r dynion ambiwlans ei gario oddi
ar y cae, a daeth eilydd i gymryd ei le.

Roedd Casgarw yn chwarae'n frwnt iawn.

Ymhen deng munud, roedd Dafydd Huws
wedi troi pen John Morris i wynebu am yn ôl.
Bu'n rhaid iddo adael y maes, a daeth yr
eilydd olaf i gymryd ei le.

'Dydy'r dyfarnwr ddim yn rheoli'r gêm o gwbl,' meddai Dai Dap. 'Mae'n gadael i Gasgarw fwrw chwaraewyr Brynchwim yn ddidrugaredd,'

OH! NA..

gwaeddodd L.O.T.C.P. Rowlands ar ei draws. 'Dyna'r dacl fwyaf brwnt a welais i yn fy myw. Mae'r gwŷr ambiwlans yn cario Zac oddi ar y maes!'

27

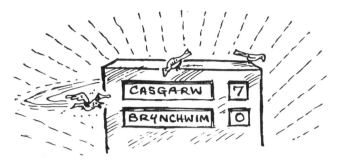

Wrth gael ei gario o'r cae, clywodd Zac floedd fawr. Roedd Casgarw wedi sgorio cais a'i drosi. Roedd Casgarw 7-0 ar y blaen.

Roedd Eddie yn bryderus wrth glywed
dyfarniad y doctor.

'Ond mae'n *rhaid* imi wella,' meddai Zac.
'Allwn ni ddim gadael i griw o foch ennill y
Cwpan.'

'Wel, mae'n hanner amser ar y Maes
Cenedlaethol, ac mae Brynchwim ar ei hôl hi
o 28-0,' meddai Dai Dap. 'Dim ond pedwar
dyn ar ddeg sy gan Frynchwim ar y maes, ac
mae Zac Evans yn cael triniaeth o hyd yn y
stafell newid.'

'Does dim llawer o obaith gan Brynchwim yn
erbyn tîm mor fawr â Chasgarw,' meddai
L.O.T.C.P. Rowlands. 'Bydd angen gwyrth!'

'Rŷn ni eisiau dangos i'r
gwylwyr rai o'r pethau
mochaidd mae Casgarw
wedi eu gwneud yn ystod
yr hanner cyntaf,'
meddai Dai Dap.

'Ie,' meddai
L.O.T.C.P. Rowlands.
'Edrychwch ar y
llun yma,

Rhaid i mi
beidio â gadael
fy nannedd gosod
yn ei ben-ôl!

lle mae Kristian Foster wrthi'n cnoi pen-ôl un
o chwaraewyr Brynchwim!'

'Mae'n amlwg i bawb, i bob copa walltog ohonom, fod Gwion Davies wedi ceisio

rhwygo clustiau Rhodri Watkins o'r gwraidd,' meddai Dai Dap.

'Pawb ond y dyfarnwr, wrth gwrs. Mae e'n cael gêm ofnadwy.'

'Dwn i ddim o ble y daeth y dyfarnwr yma,' meddai L.O.T.C.P. Rowlands.

Roedd cefnogwyr tîm Casgarw yn eu hwyliau. Roedden nhw'n hapus iawn i fod ar y blaen, a'r dyfarnwr o'u plaid.

Man â man i dîm Casgarw ymlacio yn ystod yr hanner yma!

Anfonith Casgarw dîm plant i chwarae yn erbyn Brynchwim y tro nesaf!

Dylai'r reff gael ffon wen â labrador i fynd adref!

Efallai bod rhai o dîm Brynchwim yn ddall!

'Mae'r ail hanner ar fin dechrau ac mae'r chwiban yng ngheg y dyfarnwr, Huw Bevan,' meddai Dai Dap.

'Bant â ni!'

Sylwodd neb ar Tim, newyddiadurwr ifanc *Y Seren,* yn ei baglu hi o'r Maes Cenedlaethol gyda'i dâp a'i gamera.

Roedd ganddo stori dda i'w hadrodd. Ond a fyddai mewn digon o bryd i'w hysgrifennu ar gyfer y papur y noson honno?

Daeth y gohebydd radio at Eddie yn ei sedd.

Daeth gyda'i feicroffon a'i holi sut roedd e'n gweld y gêm yn mynd yn ei blaen.

Dechreuodd cefnogwyr Brynchwim adael y maes.

Roedd rhai ohonyn nhw'n ddigalon iawn.
Roedd rhai bron â llefain.

Yn sydyn gwelodd
un o gefnogwyr
Brynchwim
rywbeth yn y pellter.

Oedd e'n gweld
yn iawn?

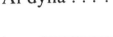

Ai dyna . . . ?

Na, doedd e ddim
yn siŵr.

Sodrodd ei
sbectol ar ei drwyn.

37

'Ac er ei fod yn rhedeg
ychydig yn gloff, mae
e'n edrych yn weddol iach.'

Gwaeddodd y dorf yn uchel. Daeth cefnogwyr
Brynchwim yn ôl. Roedd Zac yn edrych yn
benderfynol iawn.

'Nawr mae Zac yn ôl
yn y pac!' gwaeddodd
Dai. 'Ac mae pymtheg
chwaraewr gan
Frynchwim.'

Roedd pawb o dîm Brynchwim yn gwybod
mai neges gôd oedd 'Ken yn y nen'.

Roedd Zac i gicio'r bêl yn uchel, ac roedd
Ken Davies i'w dal a sgorio cais.

Pan welodd golygydd y papur
y llun a dynnodd Tim, a chlywed
y tâp, roedd e'n hapus iawn.

'Bydd y rhain yn creu
cyffro mawr yn y byd
rygbi,' meddai.

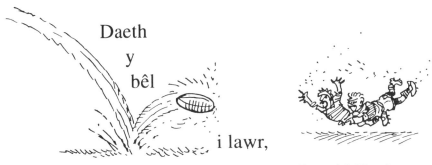

Daeth
y
bêl
i lawr,

ond doedd dim hanes o Ken. Roedd Eurig
Phillips wedi ei fwrw cyn iddo gyrraedd y bêl.

 Gwelodd Cynrhon
yr olwg ar
wyneb Zac.

'Fyddai neb yn gallu sgorio dau ddeg wyth
o bwyntiau rhwng nawr a diwedd y gêm,'
meddai Cynrhon wrtho'i hun.

Roedd Dai a L.O.T.C.P. Rowlands
yn siarad am obeithion tîm
Brynchwim.

Dim ond
ychydig
o amser
oedd ar ôl.

Mae'n amlwg ei bod hi'n rhy hwyr i Frynchwim wneud dim nawr.

Ydy, ond ers i Zac ailymuno â'r chwarae, maen nhw'n edrych yn dîm gwahanol.

Ac roedd Casgarw
gymaint ar y blaen.

Daeth y bêl o'r sgrym
i ddwylo Zac.

Roedd e bum metr o'r llinell.
Roedd cefnogwyr Brynchwim ar bigau'r drain
wrth weld Zac yn ceisio'i hyrddio'i hun dros
y llinell. Ond roedd gormod o gewri Casgarw
yno, ac fe daflon nhw Zac i'r ystlys.

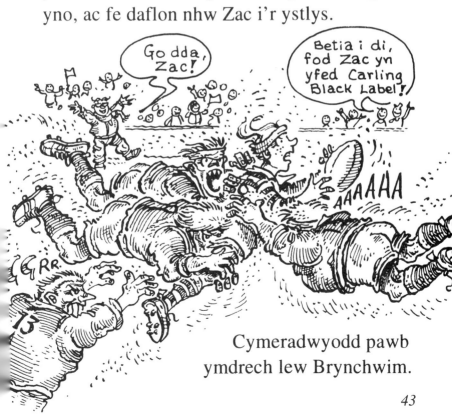

Cymeradwyodd pawb
ymdrech lew Brynchwim.

Roedd hyfforddwr
Casgarw ar ei draed
yn bloeddio,

yn diawlio

ac yn rhegi
ar ei dîm.

Roedd e'n neidio
fel pengwin ar dân.

'Hanner eich maint chi ydy Brynchwim!'
gwaeddodd. 'Bwrwch nhw er mwyn popeth!'

Am yr ail dro
roedd Brynchwim
yn pwyso ar
linell gais Casgarw.

Cafodd Zac y bêl o'r llinell a'i phasio allan i Rhodri Watkins, yr asgellwr. Y funud nesaf roedd hwnnw wedi sgorio dan y pyst, ac roedd Brynchwim wedi sgorio eu cais cyntaf.

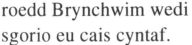

Roedd cefnogwyr Brynchwim wrth eu bodd ac ar ben eu digon.

'Dyna gais pert iawn,' meddai L.O.T.C.P.
Rowlands. 'Ond mae'n rhaid imi ddweud eu
bod nhw wedi'i gadael hi'n rhy hwyr. Ond
'rhoswch . . . beth sy'n digwydd fan hyn?

Mae'n anodd iawn credu nad oes ond
deuddeg munud ar ôl, a bod dim ond dau gais
a dau drosiad rhwng y ddau dîm. Ac ydy, mae
Zac wedi trosi'r cais!'

Erbyn hyn roedd
Cynrhon Richards

wrthi'n
bwyta'i gap,

ac yn taflu'r darnau i bedwar ban byd.

'Ddylai hwnna ddim bod yn gais, reff!'
bloeddiodd Cynrhon. Ond roedd cefnogwyr
Brynchwim wrthi'n dathlu eu hail gais.

Roedd Cynrhon Richards
yn syllu ar ei oriawr.

'Mae pedwar deg munud
ar ben, reff,' gwaeddodd.

Doedd y dyfarnwr ddim yn gallu ei glywed.
Roedd hi'n edrych yn ddu ar dîm Brynchwim.
Ond daliodd cefnogwyr Brynchwim i weiddi.

Ond yna trodd chwerthin Cynrhon yn wg chwerw. Sgoriodd Brynchwim a throsi'r cais. Roedd hi'n gyfartal.

Casgarw 28
Brynchwim 28

'Dyma rownd olaf Cwpan y Swigod

fwya syfrdanol rydw i wedi bod ynddi erioed!

Mae'r sgôr yn gyfartal, a dim ond ychydig o funudau sydd ar ôl,

ond edrychwch . . . beth sy'n digwydd . . . ?

Mae Zac wedi dal y bêl.
Ond dydw i ddim
yn credu hyn!

Bydd fy
nhroed yn dy
atal di rhag
sgorio. He! He!

Mae hyfforddwr tîm
Casgarw wedi baglu
Zac. Ond . . .'

Daliodd Zac i redeg.

Dim ond Pydew Jenkins,
cawr o ddyn, oedd rhyngddo a'r llinell gais.

'Mae Pydew yn ei daclo, ac yn gafael yn ei drywsus byr, ac yn ei dynnu oddi amdano,

Uffach! Shwt ddigwyddodd hynna?

gan adael Zac yn rhydd i . . .

wneud yr hyn nad yw'r un chwaraewr

wedi ei wneud erioed o'r blaen
mewn rownd derfynol.

Mae Zac Evans
yn mynd i . . .'

Yn sydyn, gorffennodd
y cyflenwad trydan.

Roedd eisiau mwy o
arian i'w roi yn y meter.

'Ys gwn i a ydy Zac wedi
sgorio?' gofynnodd ei
dad yn gyffrous.

Roedd gwerthwr
papurau yn gweiddi'n
uchel ar strydoedd
y brifddinas.

Roedd pawb yn tyrru ato i ddarllen
stori fawr y flwyddyn.

Beth oedd wedi digwydd?

Daeth yr heddlu yn eu ceir i nôl Cynrhon Richards a'r dyfarnwr, Huw Bevan.

Dyma'r tro cyntaf imi arestio dyfarnwr!

Dewch chi gyda fi, y ddau ohonoch, i ateb ychydig o gwestiynau.

Dy fai di yw e!

Ble rŷn ni'n mynd?

Aethpwyd â'r ddau i ateb cwestiynau yng ngorsaf yr heddlu.

58

Ceisiodd plentyn un o gefnogwyr Brynchwim weld y stori ar flaen *Y Seren*. Roedd pawb wrthi'n darllen y stori ryfeddol.

Clywodd ambell ddyfyniad.

'Cynrhon Richards . . . wedi twyllo . . . talu'r dyfarnwr . . . helpu'r heddlu . . .'

'DYWEDWCH BETH SY WEDI DIGWYDD!' gwaeddodd y plentyn. Trodd pawb ato'n syn.

Pan ddaeth Edward Evans
o hyd i ddarn arian,
ffrydiodd y golau
a'r teledu ymlaen.

Gwelodd gefnogwyr
Brynchwim wrthi'n
dawnsio a chanu yn
y strydoedd ac yna . . .

Roedd Zac ar ysgwyddau ei
gyd-chwaraewyr yn dathlu.

Do, enillodd tîm Brynchwim
y Cwpan a pharch cefnogwyr
rygbi drwy'r byd i gyd.

LLYFRAU
LLOERIG

Panel Golygyddol:
Meinir Pierce Jones, Emily Huws, Hywel James